Le petit dauphin

Illustrations

Nadia Berghella

Collection Œil-de-chat

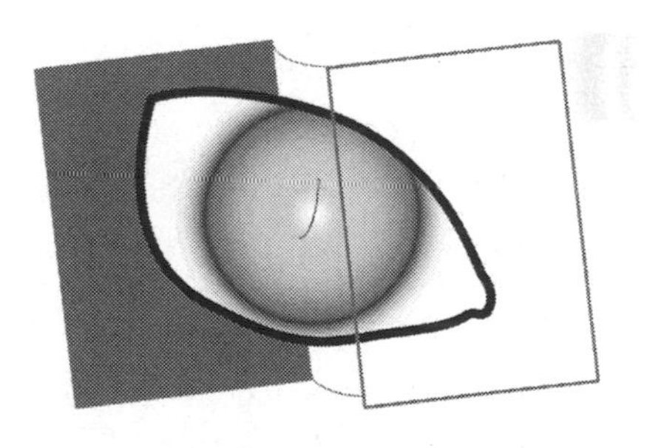

Éditions du Phœnix

Dépôt légal, 2011
Imprimé au Canada

Illustrations :Nadia Berghella
Graphisme de la couverture : Guadalupe Trejo
Graphisme de l'intérieur : Hélène Meunier
Révision linguistique : Hélène Bard

Éditions du Phœnix

206, rue Laurier
L'île Bizard (Montréal)
(Québec) Canada H9C 2W9
Tél.: (514) 696-7381 Téléc.: (514) 696-7685
www.editionsduphœnix.com

Catalogage avant publication de Bibliothèque et Archives nationales du Québec et Bibliothèque et Archives Canada

Ruel, Gilles

Le petit dauphin

(Collection Oeil-de-chat; 27)
Pour les jeunes de 9 ans et plus.

ISBN 978-2-923425-47-4

I. Berghella, Nadia. II. Titre. III. Collection: Collection Oeil-de-chat; 27.

PS8585.U492P43 2011 jC843'.6 C2011-940116-9
PS9585.U492P43 2011

Conseil des Arts du Canada Canada Council for the Arts

Nous remercions la SODEC et le Conseil des Arts du Canada de l'aide accordée à notre programme de publication. Nous reconnaissons l'aide financière du gouvernement du Canada par l'entremise du Fonds du livre du Canada pour nos activités d'édition. à notre programme de publication.

Éditions du Phœnix bénéficie également du Programme de crédit d'impôts pour l'édition de livres – Gestion SODEC – du gouvernement du Québec.

Gilles Ruel

Le petit dauphin

Éditions du Phœnix

Liste des publications chez d'autres éditeurs :

Le coffret de Toyokama :
Les Éditions Émeraude

Qui a chipé Kalemkalem :
Les Éditions Émeraude

Le Fugueur :
Les Éditions de la Paix

Philémon Lafortune et le Mastodonte :
Les Éditions du Bourdon

Le combat de Flac :
Les Éditions de la paix

La fille des Duboisfendu :
Les Éditions SM

L'histoire de Michaël :
Les Éditions du Bourdon

À ma petite fille,
Madison

CHAPITRE 1

Le grand départ

— Laurie, William, faites ça vite, papi passe nous chercher dans une vingtaine de minutes.

Ce matin, ma sœur et moi, nous avons mangé nos rôties tartinées de beurre d'arachide et de caramel en toute hâte. Fidèle à son habitude, ma sœur a terminé son petit déjeuner après moi. Sitôt notre dernière bouchée avalée, nous avons plié bagage. Ma mère, ma sœur et moi, nous partons en voyage, un voyage qui nous mènera presque au bout du monde, c'est-à-dire au Mexique! Ma mère est super nerveuse. Elle craint que nous ne soyons pas prêts lorsque papi viendra nous chercher et qu'en ce sens, nous rations l'avion. Moi aussi je suis excité, car depuis que maman nous a dit que nous ferions ce voyage, chaque fois que je le peux, je navigue sur Internet afin de trouver toutes sortes d'information sur ce pays. Là-bas, il ne tombe jamais de neige, mais parfois, l'été, il y a des tempêtes avec des vents si violents qu'ils brisent les maisons et font déborder l'océan. Je sais aussi que les habitants de ce pays sont des Mexicains, qu'ils sont plus de cent six millions et que leur langue est l'espagnol. Moi, je ne parle pas l'espagnol : je parle le français et l'anglais seulement. Pour ma mère, c'est différent. Elle a étudié deux ans à l'université de Mexico, alors elle a appris la langue du pays. Ça fait longtemps, car c'était bien avant que nous soyons nés, ma sœur et moi.

Moi, je m'appelle William. J'ai eu dix ans la semaine dernière. Ma sœur, c'est Laurie. Elle aussi, elle a eu dix ans la semaine dernière. Nous sommes jumeaux. Parfois, ma sœur, elle m'énerve. Elle veut toujours que l'on joue à ses jeux plutôt qu'aux miens. Je ne dis pas ça parce que je ne l'aime pas. Au contraire, je l'aime beaucoup, car en plus d'être ma sœur, elle est ma meilleure amie.

Pour notre fête, maman ne nous a pas acheté de cadeaux. Elle nous a fait choisir, à Laurie et à moi, entre un cadeau que nous aurions reçu le jour de notre anniversaire ou un beau voyage au Mexique que nous ferions tous ensemble. Nous avons opté pour le voyage. Nous avons été un peu déçus, car nous aurions voulu faire ce voyage et avoir aussi une console de jeux Wii. Mais comme le dit souvent ma mère, « Dans la vie, on ne peut pas tout avoir et c'est la principale raison pour laquelle nous devons apprendre à faire des choix. » Elle a raison, je le sais, mais une console de jeux Wii...

Papi François, c'est lui qui viendra nous chercher tout à l'heure. Lui, il nous a acheté de nouveaux skis. Mamie Lucie, la plus gentille de toutes les mamies de la terre, nous a offert de beaux vêtements légers et colorés que nous étrennerons lors de notre voyage.

Nous vivons seuls avec maman, car notre papa est parti lorsqu'elle était enceinte de nous. Maman, elle s'appelle Anaïs et elle est biologiste. Tous les jours, pendant que nous allons à l'école, elle travaille à l'Institut de recherche pour la protection des mammifères marins où elle exerce le métier de chercheur. Quelquefois, lorsqu'elle part en voyage ou lorsqu'elle rentre tard, c'est papi et mamie qui nous gardent. Ce sont les meilleurs gardiens au monde, car même si nous ne vidons pas nos assiettes, nous pouvons quand même avoir un dessert. Mais ça, il ne faut pas le dire. C'est un secret entre nous, nous a dit mamie. Ce matin, ce sont eux qui viendront nous chercher pour nous conduire à l'aéroport.

CHAPITRE 2

Faisons la file...

Ma sœur et moi, comme c'est la première fois que nous prenons l'avion, nous ne savions pas qu'avant de monter à bord, il fallait faire la file en traînant nos bagages. Tout le monde est tassé comme des sardines et certaines personnes nous poussent, comme si nous pouvions sauter pardessus les voyageurs pour aller plus vite.

Impatient, je demande à ma mère :

— Pourquoi est-ce aussi long ?

— Il faut que les agents, au comptoir, vérifient les billets et les passeports ; ils doivent aussi peser les bagages et les identifier.

— Ils pourraient se dépêcher, ajoute Laurie.

— Ma puce, ils font tout leur possible. Il faut juste que nous soyons un peu patients. Pense au beau voyage que nous allons faire et à toutes ces belles choses que nous allons voir.

— Ouais... Comme tu nous le dis souvent, tout a un prix.

— Et ce n'est pas très cher quand je pense à la chance que nous avons.

— Oui, mais il viendra quand, notre tour ?

Comme réponse à la question de ma sœur, une dame toute noire, avec ses belles dents blanches comme les notes du piano de mamie Lucie, fait un geste en notre direction afin que ma mère se présente à son comptoir. Laurie et moi, nous la suivons, collés à ses semelles. Maman lui tend les trois billets, ainsi que nos passeports. Après avoir orné nos bagages de longs papiers rouge et blanc et les avoir poussés sur un tapis roulant, elle informe maman que nous devons nous rendre à la porte quarante-sept C pour les dernières vérifications avant l'embarquement.

— Quelles dernières vérifications ? interroge Laurie.

— Des vérifications de sécurité. Un agent va vous demander de placer vos sacs à dos sur un autre tapis roulant afin qu'ils passent dans un appareil de détection. L'agent peut même vous donner l'ordre d'enlever vos souliers.

— J'espère qu'il y a des gens qui oublient de se laver les pieds, dit Laurie en riant.

— Et ils demandent ça à tous les gens qui montent dans l'avion ?

— Oui, William. C'est pour vérifier si nous ne transportons pas d'objets dangereux comme des couteaux ou toutes autres sortes d'armes.

— Cela veut dire que nous devrons attendre là aussi, réplique ma sœur, exaspérée.

— J'en ai bien peur, ma puce, mais l'attente sera beaucoup moins longue.

En effet, nous avons de la chance. Il ne reste que trois personnes devant nous. Lorsque le vieux monsieur qui est accompagné de deux dames enlève ses souliers, Laurie se pince le nez en me regardant. Il n'en faut pas plus pour que je pouffe de rire.

Lorsque c'est à mon tour de passer à la vérification, je ne ris plus. Un agent ayant la stature d'une cabine téléphonique me demande de placer mon sac sur la courroie et d'enlever mes souliers. Sa voix est rauque et caverneuse. J'obéis et ma sœur, sans même que l'agent émette un son, place son sac sur la courroie et enlève ses espadrilles. Comme le dit souvent mademoiselle La Tulipe, notre professeure de géographie : « Je crois que la récréation est terminée. »

C'est au tour de maman de sourire en nous voyant si sages.

Ayant finalement traversé cet endroit hyper dangereux, nous nous retrouvons devant de larges fenêtres.

— Regarde, Laurie, le gros avion ! C'est peut-être celui qui va nous transporter au Mexique.

— Est-ce que ce sera lui, maman ?

— Je ne crois pas, ma puce, car celui que nous voyons est un Boeing 747. C'est l'un des plus gros avions de ligne qui existe. Il peut accueillir à son bord jusqu'à cinq cents passagers.

Surpris, je répète :

— Cinq cents personnes ! C'est plus que tous les élèves de mon école.

— C'est en effet beaucoup de monde, lance maman pour conclure.

Les seuls avions que j'ai vus pour de vrai, avant aujourd'hui, ce sont les petits avions des parcs d'attractions. Un gros comme celui-là, plus gros que notre maison, c'est vraiment la première fois que j'en vois un.

CHAPITRE 3

Le baptême de l'air de Laurie

Enfin, nous voilà assis dans l'avion. Il est beaucoup moins gros que le 747 que nous avons vu, mais il est tout de même impressionnant. Ma sœur a choisi de s'asseoir près du hublot; moi, je suis près de l'allée, car maman a décidé de s'installer entre nous deux. L'avion roule lentement sur la piste et s'immobilise. Soudain, les moteurs grondent. Le bruit s'accentue. Il devient si fort que je n'entends plus rien d'autre. Sous l'effet de l'accélération, mon siège vibre; mon dos et mes jambes se mettent à chatouiller. Je m'enfonce dans mon siège, l'avion quitte le sol et j'entends le train d'atterrissage qui regagne son habitacle de vol. Je regarde ma sœur du coin de l'œil; elle a les yeux grands comme des huards et s'agrippe au bras de maman.

À peine deux minutes après le décollage, l'avion effectue un grand cercle en s'inclinant, comme si l'une de ses ailes disait au revoir à la ville. De ma place, grâce à ma sœur qui est collée contre ma mère, je peux voir les maisons qui sont devenues miniatures.

— Regarde, Laurie, les maisons sont toutes petites !

J'aimerais bien qu'elle profite de son hublot.

— Je ne veux pas regarder, j'ai trop peur de tomber, réplique-t-elle en s'agrippant encore plus au bras de maman.

Un peu frustré, je lui demande :

— Alors, pourquoi as-tu choisi de t'asseoir près du hublot si tu ne veux pas regarder dehors ?

— Parce que je pensais que j'allais aimer ça. Au retour, si tu veux t'asseoir à ma place, je vais te la donner.

— Pourquoi ne me la donnes-tu pas tout de suite ?

— Impossible, dit maman. Regarde les signaux lumineux. Tu vois, la boucle de ceinture est allumée, alors cela veut dire...

— Qu'on n'a pas le droit de se lever, ajoute ma sœur en esquissant un petit sourire.

— Moi aussi je le savais, j'avais juste omis de regarder.

CHAPITRE 4

Enfin le Mexique

Ma sœur Laurie, lassée d'observer les nuages dans le ciel, m'a cédé sa place. Le nez collé au hublot j'aperçois enfin le Mexique et la piste d'atterrissage d'un aéroport.

— C'est Zihuatanejo, me dit ma mère.

— Comment ?

— Zihuatanejo. Ou Ixtapa, si tu préfères. Je pense que vous trouverez ce nom plus facile à prononcer.

— Tu as raison, lance Laurie.

— Veuillez attacher vos ceintures et ranger vos bagages à main sous le siège devant vous, indique l'agente de bord, dont la voix résonne dans les haut-parleurs de l'avion.

Je murmure à l'oreille de ma sœur :

— Tu n'as pas à avoir peur, Laurie.

— Pourquoi me dis-tu ça? Même si l'avion penche de côté, il n'y a pas de danger que nous tombions. Maman m'a tout expliqué cela.

Sans m'en apercevoir, je suis presque à genoux sur mon siège tellement je m'étire afin de tout voir. En passant dans l'allée, l'hôtesse me signale que je dois me tenir bien droit. J'acquiesce à sa demande, mais je continue tout de même de regarder partout.

L'avion touche enfin la piste d'atterrissage. Le pilote inverse les moteurs et l'appareil s'immobilise dans un bruit infernal, juste avant de se diriger vers une aire de débarquement.

Aussitôt que l'avion est arrêté, presque tous les passagers se mettent debout dans l'allée et attendent que, tour à tour, chacun récupère ses bagages à main et quitte l'appareil.

— Restons assis, nous suggère maman. De toute façon, il n'y a qu'une porte de sortie.

— La maison de ton ami, c'est loin d'ici? demande Laurie.

— Très drôle, mais ça ne fait pas très sérieux comme réponse.

— Et ta réponse sérieuse, ce serait quoi ? demande maman.

— Je dirais que c'est parce qu'elles ne sont pas mûres.

— Bravo, Laurie ! Tu as parfaitement raison.

— Et lorsqu'elles sont brunes, est-ce parce qu'elles ont une nouvelle peau ?

— Non, c'est l'écorce verte qui, en mûrissant, se transforme en fibres ligneuses d'un ton brunâtre et donne à ce fruit une texture rugueuse.

— Et cela prend du temps avant qu'elles deviennent brunes comme chez nous ? interroge de nouveau ma sœur.

— Je te dirais environ deux ans, car ici, lorsque nous les cueillons, elles ont de douze à treize mois et il faudra compter encore une année afin qu'elles soient à pleine maturité et qu'elles aient une teinte brune, comme celles que vous avez dans vos marchés.

— Et un cocotier, ça lui prend du temps avant de faire des cocos ?

— De cinq à six ans, mais il atteint sa production maximale au bout d'une quinzaine d'années. Alors, si tu fais le calcul, à quel âge un cocotier devient-il très productif ?

— La réponse n'est pas très difficile : vingt ou vingt et un ans.

— Tu as raison, le calcul était assez simple. Maintenant, qui de vous peut me dire combien de noix de coco un arbre peut produire durant sa vie ?

— Il faudrait d'abord que nous sachions, *señor* Carlos, combien d'années il vit.

— Elle est très futée, ta fille, Anaïs. Le cocotier peut vivre jusqu'à cent ans, mais sa production de fruits diminue considérablement lorsqu'il atteint soixante ans.

Afin de montrer à ce Mexicain que moi aussi, je suis dégourdi, j'ajoute :

— Cela veut dire que le cocotier produit des cocos pendant une quarantaine d'années.

— Il faudrait que vous nous disiez combien il en produit chaque année.

— Là, Laurie, ce serait trop facile. Dites un nombre, au hasard. Toi aussi, Anaïs, tu peux tenter ta chance.

— Mille noix, lance maman en adressant un large sourire à notre hôte.

— Deux mille, lâche ma sœur.

— Et toi, William, tu ne dis rien ? me demande notre guide.

— Moi, j'opterais pour une production annuelle de cent noix de coco et si je fais la multiplication...

— Accouche ! me lance ma sœur.

— Laisse-moi le temps, c'est à moi que le *señor* a posé la question. Je dirais donc... Quatre mille noix que je fais, en lançant une œillade à notre chauffeur.

— Tu ne trouves pas que tu exagères un peu ? soupire Laurie.

— Non, parce que mon premier choix était huit mille noix.

— Tu nous donnes ce fameux nombre ? demande maman, avant que ce petit jeu se transforme en conflit qui pourrait altérer le plus beau des voyages.

— Vous avez tous les deux raison.

— Même William ? interroge Laurie.

— Oui, et je vais vous expliquer pourquoi. Disons que la production du cocotier de votre mère représente celle d'un jeune arbre âgé de dix à vingt ans ou celle d'un vieux cocotier de plus de soixante ans.

— Un cocotier hors compétition, ajoute ma sœur qui cherche toujours à avoir le dernier mot.

Pour cette fois, je lui donne raison. J'avais d'ailleurs établi que nous considérerions une quarantaine d'années de production.

— *Señor* Carlos, est-il possible que vous lui disiez cela juste pour lui faire plaisir ? demande Laurie.

Sans ajouter un mot, le Mexicain adresse un petit sourire de connivence à ma sœur.

Il y a des jours où ma sœur est vive comme l'éclair. Même moi, je ne peux rien lui passer. Je ne serais pas surpris que ce soit elle qui ait la meilleure réponse.

— Et pour les autres réponses, Carlos, poursuit ma mère sur un ton qui trahit sa nervosité.

— Les cocotiers que nous voyons sur le bord de la route et dans les champs produisent en moyenne cinquante noix par année.

Carlos n'a pas le temps d'ajouter une syllabe de plus. Ma sœur, qui a sûrement une calculatrice dans le cerveau, jubile. Les bras en l'air, elle s'écrie :

— Youpi ! Je savais que c'était moi qui avais raison. J'ai gagné ! J'ai gagné !

— Ne vous réjouissez pas trop vite, mademoiselle Laurie, car dans les cocoteraies, certaines variétés de cocotiers hybrides produisent entre cent et deux cent cinquante noix par année. Comme ma question touchait tous les cocotiers en général, la réponse de William, elle aussi, est bonne.

— Tape là-dedans, me dit Laurie en me présentant sa main. Nous sommes tous gagnants.

Carlos sourit en regardant maman. Au même moment, l'auto ralentit, et après avoir franchi une large grille qui se referme derrière nous, nous nous engageons dans une longue allée bordée d'hibiscus et d'autres arbustes floraux dont j'ignore le nom. Il y a des cocotiers, bien sûr, et un manguier, que je reconnais à ses fruits. Les autres arbres, j'aurai sûrement l'occasion de connaître leur nom au cours des trois prochaines semaines.

CHAPITRE 6

La maison de Carlos

L'auto s'immobilise devant une grande maison toute blanche. Des grillages protègent chaque fenêtre, alors que des volets d'un brun très foncé ornent chacune d'elles. Même la porte centrale est protégée par une armature métallique.

– Nous voilà rendus à destination, dit notre hôte. Laissez là vos bagages, Juan viendra les prendre et les portera à vos chambres.

Nous lui emboîtons le pas. La grande porte s'ouvre et une dame vêtue de rose nous accueille en poussant la grille qui nous barre le chemin.

– *Buenos dias*[1], nous dit la dame en nous recevant sur le pas de la porte.

– *Buenos dias*, répond maman.

Même si ma sœur et moi ne parlons pas l'espagnol, nous savons tout de même

---

[1] Bonjour.

quelques mots et là, cette dame vient de nous saluer.

— Je vous présente ma sœur, Consuelo. Et voici ma fille, Alandra.

— Je suis bien contente de vous rencontrer, dit-elle. Mon père nous parle de votre visite depuis des mois.

— Alandra étudie le français depuis maintenant trois ans, dit Carlos, fier que sa fille s'exprime si bien dans notre langue.

— Tu parles vraiment bien le français, ajoute maman. Je suis certaine que tu enseigneras quelques mots d'espagnol à Laurie et à William.

— S'ils le désirent, mais je suis convaincue qu'ils en connaissent déjà plusieurs.

— *Si*[2], Alandra, dit ma sœur. *Adios*[3], ajoute-t-elle en feignant de nous quitter.

Des éclats de rire retentissent dans la grande pièce. Ma sœur, elle est comme ça. Elle ne rate jamais une occasion de nous amuser. Maman dit qu'elle est une vraie petite clown.

---

2 Oui.

3 Adieu.

— *Soy*[4] *Anaïs y mi hijos se llaman*[5] *Laurie y*[6] *William. Son gemelos*[7], dit maman à la tante d'Alandra.

— *Encantada*[8], répond-elle en esquissant un large sourire.

— Venez sur le patio. Vous verrez, tout près, il y a la mer.

— Pourrons-nous nous baigner, Carlos ?

— Oui, William. Mais avant, n'auriez-vous pas envie de prendre un petit rafraîchissement ? Question de laisser le temps à Juan de rentrer vos bagages.

— Oh oui, répond ma sœur, assoiffée par la chaleur.

Même si nous avons très hâte de voir la mer, nous suivons nos hôtes. Une question de savoir-vivre, nous a déjà expliqué maman. Nous nous exclamons, ma sœur et moi, en voyant l'étendue d'eau turquoise qui s'allonge à l'infini.

---

4 Je suis.

5 Et mes enfants s'appellent.

6 Et.

7 Ils sont jumeaux.

8 Je suis enchantée.

— Wow!

Sur la droite, à travers la végétation, j'aperçois une statue de pierre. Elle fait au moins deux fois la grandeur de Carlos. Je suis intrigué. Elle représente un homme assis qui a la tête tournée, et son regard est braqué sur moi. Il tient, sur son abdomen, une sorte de grande soucoupe sculptée dans la pierre. Ne voulant pas m'en approcher seul, j'interpelle ma mère.

— Viens voir la statue, maman, elle est énorme.

Ce que j'aime, chez ma mère, c'est que rien ne l'effraie. Comme papi le mentionne souvent : « Elle n'a pas froid aux yeux. »

Dès qu'elle voit la sculpture, ma mère m'explique que cette statue représente le dieu Chac, le dieu de la pluie chez les Mayas.

— Peux-tu répéter ça, maman?

Je suis tout éberlué. Ma mère connaît cette statue.

— Cette statue représente le dieu Chac et il était le dieu de la pluie chez les Mayas. En période de sécheresse, on lui offrait des

sacrifices humains afin d'obtenir de la pluie.

— Cela signifie-t-il que l'on tuait des gens afin qu'il pleuve ?

— Mais c'est complètement débile ! s'exclame ma sœur qui a écouté les explications que m'a données maman.

— Il ne faut pas être aussi sévère, ma puce. C'était les croyances qu'avaient les Mayas il y a plus de mille ans. Dans un prochain millénaire, bien des gens trouveront nos croyances très bizarres.

— Oui, mais tuer des gens pour qu'il pleuve...

Avant que ma sœur fasse une fixation qui risquerait de l'obséder tout au cours de notre voyage, je m'empresse de demander :

— Et dans le bassin, il y a des poissons ?

— Non, ce bassin est une réplique du cénote sacré de Chichén Itzá, d'à peine cinq ou six mètres de profond, indique Carlos en se rapprochant de nous.

— Pouvez-vous m'expliquer ce qu'est le cénote sacré ?

— C'est l'endroit où les prêtres mayas jetaient les personnes qui avaient été choisies pour servir d'offrande au dieu Chac.

— C'est toi qui as fait effectuer ces travaux ? interroge ma mère.

— Non, c'est mon arrière-grand-père paternel. Il a d'ailleurs fait construire la première maison de notre famille, il y a plus de cent ans. La villa actuelle a été construite par mon père, il y a une trentaine d'années.

— Et la statue, c'est votre aïeul qui l'a fait sculpter ? demande Laurie.

— Oui, et elle a été sculptée dans une grosse pierre qui était déjà là. Si tu regardes bien, tu verras que la base de cette statue est enfouie dans le sol et que le petit lac n'est pas parfaitement rond, car devant la statue, il épouse la courbe de la pierre.

— Dans ce bassin, y a-t-il déjà eu des sacrifices humains ? s'informe ma sœur.

— Absolument pas, lance Carlos en riant. Ces pratiques ne sont plus permises depuis des centaines d'années. Comme je le disais, ce n'est là qu'une réplique du dieu Chac et du cénote sacré. Venez, Alandra nous attend avec les rafraîchissements.

CHAPITRE 7

Enfin la plage

En entendant le mot rafraîchissement, ma sœur s'est littéralement précipitée vers la terrasse afin de rejoindre Alandra, la gardienne des boissons.

— Tu préfères le jus de mangue ou le jus d'ananas ? demande-t-elle à Laurie.

— J'ai tellement soif que je boirais un grand verre de chacun, répond-elle en tendant les mains.

Alandra sourit et lui offre deux verres remplis à ras bord.

— Merci, Alandra. Nous deviendrons de bonnes amies.

— Vous avez quel âge, ton frère et toi ?

— Dix ans et toi ?

— Juste un petit peu plus, j'ai onze ans.

— Elle sera comme votre grande sœur, dit maman qui aime bien, à l'occasion, s'immiscer dans nos conversations.

— Ce sera comme ils le voudront, madame. Tout ce que je veux, c'est que vous passiez tous de belles vacances avec notre famille, déclare la jeune Mexicaine.

— Maintenant, pouvons-nous aller enfiler nos maillots ? demande Laurie qui tient un verre vide dans chaque main.

— Papa, intervient Alandra, nous avons tous hâte de nous baigner.

— Bien sûr, ma grande.

— Si tu le permets, Carlos, je vais y aller avec eux. Je vais défaire les bagages et en profiter pour me rafraîchir un peu.

— Si tu veux enfiler ton maillot, nous irons tous à la mer. Consuelo, tu veux bien leur faire visiter l'étage ?

Consuelo échange quelques mots avec son frère et nous fait signe de la suivre.

En haut du grand escalier, à droite, nous passons devant la chambre de notre hôte. Juste en face, c'est celle d'Alandra. Tout au fond du passage, adjacente à celle de tante Consuelo, c'est la chambre de maman, et, ce qui est génial, elle communique avec la nôtre.

Aussitôt arrivés à la chambre, pendant que maman défait nos bagages, nous enfilons nos maillots. Nous attendons ensuite qu'elle soit prête.

— Mets ton maillot, maman, dit Laurie, impatiente d'aller à la mer.

— Oui, mais avant, je dois ranger nos choses. Tu serais la première à être malheureuse si tu avais à porter des vêtements tout froissés. Je n'en ai que pour quelques minutes.

De notre balcon, je vois la terrasse, la statue du dieu Chac, le cénote et la mer. Complètement sur la gauche, des grillages forment un grand enclos. Ignorant l'utilisation prévue pour cet espace, je me propose de le demander au *señor* Carlos. Plus au large, j'aperçois des dauphins. Ils sont loin, mais je suis persuadé que ça en est.

— Viens voir, Laurie, il y a des dauphins.

— Je ne peux pas, j'aide maman.

— Tu ne sais pas ce que tu manques.

— Je peux y aller ?

— Bien sûr, tu sais comme c'est urgent lorsque ton frère a quelque chose à te montrer.

— Où sont-ils, tes dauphins ?

— Prends mes lunettes d'approche, ils sont là, juste devant.

— Tout ce que je vois, c'est de l'eau.

— C'est parce que tu ne regardes pas au bon endroit.

— Moi, je pense plutôt que tu as la berlue. Reprends tes longues-vues. D'ailleurs, on frappe à la porte, déclare-t-elle en courant pour aller ouvrir.

Dans l'embrasure, Alandra se tient bien droite, portant un joli maillot jaune, décoré de petites fleurs bourgogne. Elle est vraiment très jolie. Dommage qu'elle ait un an de plus que moi.

— Tu viens nous chercher ? demande maman.

— Oui, madame, papa et tante Consuelo vous attendent dans le grand hall.

— Nous allions descendre, ajoute-t-elle, alors que nous nous joignons à Alandra.

***

— Mon frère prétend qu'avec ses lunettes d'approche, il a vu des dauphins.

— C'est possible, dit Carlos. Il arrive souvent qu'ils viennent à quelques centaines de mètres de la plage.

— Ça se fait, appeler des dauphins ?

— Alandra essaie de temps à autre, mais ils ne s'approchent jamais très près.

— Il y a une fois, où il y en a deux qui sont venus à une vingtaine de mètres. Tu ne t'en souviens pas ?

— Tu as raison, ma chérie, il y a eu cette fois-là.

— Comme ça, tu sais leur parler ?

— Pas vraiment, car ils ne viennent jamais jusqu'à moi.

— Tu vas tout de même me montrer comment les appeler ?

— Si tu veux, dit-elle en me faisant un joli sourire.

— *Señor* Carlos, j'ai vu des grillages de notre chambre. Vous pouvez m'expliquer à quoi ils servent ?

— Je veux en faire une infirmerie. Lors de nos excursions en voilier, il nous arrivait de rencontrer des dauphins en piteux état. Nous ne pouvions les récupérer, car même si je les avais opérés, nous n'avions aucun endroit pour leur permettre une convalescence. Maintenant, nous le pourrons.

— Si je comprends bien, cet enclos n'a pas encore été utilisé.

— Tu as tout compris. Maintenant, tout le monde à la plage, lance Carlos en nous invitant à le suivre.

L'eau est presque tiède. C'est la première fois que je me baigne dans la mer sans être saisi de frissons. Les vagues sont assez importantes pour nous permettre de surfer sur les planches qu'Alandra nous a prêtées. Certaines vagues, plus puissantes, nous transportent jusque sur le sable. Pendant que nous jouons dans l'eau, Consuelo et maman discutent, alors que Carlos, d'un œil discret, veille sur nous.

— Venez nager, crie Alandra. Vous aurez tout le temps de bavarder.

— Tu as raison, répond son père qui, sans hésiter, se joint à nous.

Après avoir joué au *frisbee* avec nous, il nous hisse tour à tour sur ses épaules afin que nous plongions. Il est vraiment gentil. En secret, je me dis que c'est un papa comme lui qu'il nous faudrait.

CHAPITRE 8

Une grande déception

Aujourd'hui, nous passerons la journée à la plage. Pas vraiment toute la journée, car de midi à trois heures, nous devons nous retirer dans des zones ombragées en raison de la dangerosité du soleil. Nous exposer aux rayons solaires durant cette période, surtout la première journée, pourrait être très néfaste, selon les dires de maman, car nous pourrions être victimes d'une insolation ou de brûlures graves, qui pourraient nous conduire à l'hôpital.

J'ai peine à demeurer en place, car c'est demain que nous allons faire notre première excursion sur le voilier de Carlos. Alandra m'a dit que nous verrons des dauphins de si près que nous aurons l'impression de pouvoir les toucher. Je rêve de nager avec eux depuis si longtemps, c'est peut-être demain que mon rêve se réalisera.

Le ciel vient de me tomber sur la tête ! Maman m'apprend que Carlos a dû se rendre d'urgence à Mexico. Il doit opérer un bébé prématuré souffrant de problèmes cardiaques sévères. Il sera de retour dans trois ou quatre jours.

— Trois ou quatre jours ? Mais maman, notre excursion était prévue pour demain !

— Que veux-tu que je te dise, s'il est allé à Mexico, c'est qu'il devait y aller ! Il ne pouvait sûrement pas faire autrement.

— Je ne peux pas croire que dans une grande ville comme Mexico, il soit le seul chirurgien à pouvoir faire ce genre d'opération.

— William, je ne connais pas tous les détails de l'affaire, mais je connais suffisamment Carlos pour te dire que s'il est parti pour Mexico, c'est qu'il était essentiel qu'il y soit.

— Oui, mais notre excursion !

— Nous la ferons à son retour. Tu es assez mature pour comprendre qu'on ne laisse pas mourir un bébé pour une expédition en mer. D'ailleurs, à sa place, j'aurais fait comme lui.

— Ça ne me surprend même pas ! Vous, les adultes, vous n'avez que ça en tête, le travail !

Comme il m'arrive parfois de perdre les pédales, je donne un violent coup de pied à mon sac à dos qui frappe le mur.

— William ! S'il te plaît, tu ramasses ton sac à dos et tu te calmes.

Il y a longtemps que ma mère ne m'a pas parlé sur ce ton. Et lorsqu'elle élève le ton, je sais que sa limite est proche. Je ne veux pas passer la journée en retenue.

— Excuse-moi, maman.

— Viens ici, mon grand, me dit-elle en ouvrant ses bras. Je comprends que tu sois déçu, mais je te promets que nous ferons cette excursion.

— Je veux bien te croire, mais qui te dit que Carlos n'aura pas d'autres opérations à faire après celle-là ?

— Rien ne me le dit, William, mais si tel est le cas, je trouverai un capitaine qui fait ce genre de balade en mer. Je t'ai dit que nous ferions une excursion à voile afin que tu voies des dauphins et crois-moi, avec ou sans Carlos, nous en ferons une.

— Merci, maman ! Je t'adore, dis-je en me lovant dans ses bras.

— Va retrouver Alandra et Laurie, elles t'attendent.

J'ignore si elles m'attendaient, mais je les retrouve toutes les deux à la cuisine.

— Qu'est-ce que vous faites ?

— Sais-tu que Carlos est parti ? me demande ma sœur.

— Oui, maman me l'a appris, mais cela ne me dit pas ce que vous faites.

— Que font deux filles dans une cuisine ? poursuit ma sœur.

— Nous préparons de vraies *fajitas*, répond Alandra.

— Maman et toi, vous allez les adorer.

— Si tu suis les directives d'Alandra, j'en suis convaincu moi aussi.

— Tu n'es pas trop déçu que mon père ait dû se rendre à la capitale ?

Il est hors de question que je lui dise que j'ai piqué une colère. De plus, avec la promesse que maman m'a faite, je peux lui dire, sans tout lui avouer, que ma grande déception a presque disparu. Je le suis encore un peu, mais pas autant que lorsque j'ai appris le départ de Carlos.

— Un peu, mais maman m'a promis qu'à son retour, nous ferons cette excursion.

— Tu peux en être certain, dit-elle en me tendant un peu de salsa sur un bout de tortilla. Mon père, il n'a qu'une parole.

CHAPITRE 9

Enfin l'excursion

Carlos est revenu une journée plus tôt que prévu. Maman avait raison, je me suis emporté pour rien. Je suis très excité à l'idée que demain, je verrai enfin de vrais dauphins. Je suis persuadé que je pourrai nager avec eux, tout comme Bud le fait avec Flipper. J'ai confié mon secret à Alandra. Je n'aurais pas dû. Elle n'a pas ri de moi, mais ses sourcils sont devenus comme des accents circonflexes, elle a souri et elle m'a lancé :

— Je te le souhaite, William, mais tu devrais savoir que la vie, ce n'est pas comme au cinéma.

***

Il est à peine six heures trente et nous sommes déjà à table pour le petit déjeuner. Alandra est resplendissante dans son bel ensemble lavande. Elle est si jolie que j'en oublie presque la boutade qu'elle m'a faite au sujet de mes chances de nager avec les dauphins.

Tante Consuelo n'est pas attablée avec nous. Carlos nous a appris qu'elle ne serait pas du voyage. Elle doit se rendre à Zihuatanejo. Elle possède un petit hôtel là-bas, et même si elle paie des gens pour s'en occuper, elle doit tout de même y aller au moins une fois la semaine.

Hier, j'étais très excité en pensant à cette excursion, mais ce matin, je l'admets, je le suis deux fois plus. J'ai à peine picoré dans mon assiette tellement j'ai hâte d'être sur le bateau et de voir des dauphins. Ma première excursion à voile, à vie !

Ma sœur Laurie s'empiffre. Nous avons tous terminé, mais elle, qui a toujours faim et soif, a encore trois rôties garnies de marmelade devant elle. Impatient de partir avec Carlos sur son voilier, je lui demande :

— Vas-tu manger jusqu'à demain ?

— Ta sœur a un bon appétit, répond maman.

— Tu n'as pas à t'inquiéter, William. La mer sera encore là demain, lance Carlos en jetant une œillade à ma mère.

— Oui, mais les dauphins ?

— Eux aussi. Je crois qu'ils sont là depuis que la mer existe.

— J'ai terminé, déclare ma sœur en se servant de la nappe comme serviette de table.

— Essuie aussi ta bouche, mais cette fois, utilise ta serviette, fait maman.

Après s'être essuyé la bouche, elle s'excuse d'avoir utilisé la nappe.

— Je pense que tout le monde est prêt, dit Carlos en se levant de son siège.

— Y a-t-il quelque chose à boire et à manger sur votre voilier ? demande Laurie, inquiète.

— Il y a tout ce qu'il faut et même un peu plus, répond notre hôte pour la rassurer en nous indiquant de le précéder.

***

Nous sommes invités à embarquer sur un voilier dont le nom est le *Maria Elena*. De toute ma vie, je n'en ai jamais vu un aussi beau. Je m'exclame en y montant.

— Wow! Tu as vu ça, maman? Nous avons vraiment bien fait d'attendre le retour de Carlos.

— Comme je vous le dis...

— Je sais, reprend Laurie : « Tout vient à point à qui sait attendre. »

— Toi aussi tu le leur rappelles? demande Carlos.

— Il le faut et pour tout dire, lorsque j'avais leur âge, mes parents m'ont souvent répété ce proverbe.

— Les miens aussi, ajoute Carlos.

— Tu ne m'avais jamais dit ça, fait Alandra, étonnée.

— Et sûrement beaucoup d'autres choses, ajoute ma sœur qui sue déjà à grosses gouttes.

— Vous trois, restez sur le pont, ordonne Carlos. Anaïs et moi, nous occuperons la cabine de pilotage.

— Bien, capitaine, répond Alandra en saluant son père.

Pendant que nous quittons la rade, je m'émerveille de toute l'activité qui y grouille. Des dizaines de voiliers, des bateaux à moteur et de longues barges y sont ancrés. De petites chaloupes, toutes miniatures, circulent de façon ordonnée dans cet environnement. Il y a même des gens qui, chevauchant témérairement leurs motomarines, se faufilent entre les coques géantes.

— Pourquoi ton père ne met-il pas les voiles ? demande ma sœur.

— Pour deux raisons. Tout d'abord, le règlement l'interdit ; aussi serait-il hasardeux de circuler, à voile, dans un endroit aussi restreint et achalandé qu'est la rade.

— Il y a longtemps que ton père a ce bateau ?

— Le voilier n'est pas à lui, il appartient à grand-père, qui l'a acheté lorsque mon père avait mon âge. Papa peut tout de même le prendre autant qu'il le veut. « C'est le bateau de la famille », comme dit grand-père.

Nous sommes à peine sortis de la rade que Carlos se pointe sur le pont en compagnie de maman.

— Il faut monter la grande voile et hisser le génois, dit-il en défaisant les attaches du tissu qui recouvre la grande voile.

Sans hésiter, Alandra saisit l'écoute du génois et attend le signal de son père afin de passer à l'action.

Je l'envie, car elle semble connaître toutes les manœuvres. Je me tiens près d'elle et je l'observe. Je pense que si j'ai la chance de faire quelques excursions, moi aussi, je saurai comment aider Carlos.

En moins de temps qu'il ne faut pour le dire, les voiles sont montées et nous voguons vers le large.

Alandra, ma sœur et moi sommes coiffés de chapeaux de paille et équipés de nos verres solaires. Debout sur le pont et appuyés sur la rambarde, nous observons la mer, espérant apercevoir quelques dauphins. Comme c'est souvent le cas au pays de la tortilla et de la corrida, le ciel est sans nuages. Impossible pour ce soleil de plomb de s'esquiver derrière de gros cumulus pour nous faire profiter de quelques moments de répit. Malgré le vent du large, ma sœur Laurie, qui souffre d'excès de

CHAPITRE 11

Le sauvetage

Le jeune dauphin nage près de nous depuis une bonne quinzaine de minutes lorsque Carlos nous annonce, d'une voix forte, un empannage imminent. Il souligne l'importance que chacun reste là où il est afin que personne ne soit frappé par la bôme qui passera d'un seul trait, d'un bord à l'autre. Sitôt la manœuvre effectuée, le voilier perd son allure et se laisse bercer par la vague.

— Alandra, jette l'ancre flottante.

Dans un même mouvement, elle saisit un tissu triangulaire orange qui repose sur le pont et le lance à l'eau. Sitôt immergé, il se déploie, prend la forme d'un cône, et après quelques minutes, il retient le voilier, proue dans le vent.

— Il faut maintenant descendre le brancard, annonce Carlos.

Pendant que Carlos et Anaïs descendent le brancard jusqu'à quelques centimètres de la surface de l'eau, Laurie, fidèle à son habitude, s'interpose :

— Vous n'avez pas le droit de faire ça ! Vous n'avez pas le droit de le capturer ! C'est criminel de le priver de sa liberté. Vous allez le blesser en l'embarquant dans cette chose bizarre !

— Il n'y a aucun danger, lui dit Carlos. Cette civière a été conçue spécialement pour cueillir des mammifères marins.

Ma sœur crie à s'époumoner, appuyée sur la rambarde.

— Sauve-toi, petit ! Sauve-toi !

— Es-tu devenue folle ? Carlos et maman mettent tout en œuvre pour lui sauver la vie. Si c'est trop dur pour toi, va-t-en dans la cabine.

— William, rétorque ma mère, ne parle pas comme ça à ta sœur et toi, Laurie, calme-toi et viens un peu ici.

C'est en m'adressant un sourire très significatif que ma jumelle quitte la rambarde et rejoint notre mère.

— Pourquoi ne pas prendre l'appareil photo et faire quelques photos ? Cela nous ferait de beaux souvenirs de cette excursion.

— Merci de m'y faire penser; comme ça, si vous le tuez, j'aurai des preuves.

— Laurie, il y a des fois... Va chercher l'appareil photo, ordonne ma mère en poussant un soupir d'exaspération.

Pendant que Laurie se précipite dans la cabine, Alandra emprunte l'échelle de corde, et tout en émettant de multiples sons, elle nage jusqu'à ce qu'elle soit à quelques mètres du petit dauphin. Je l'envie, car je suis certain qu'elle s'approchera de lui jusqu'au moment où elle pourra le toucher.

— Je peux descendre? capitaine.

— Il faut demander à Alandra. C'est elle qui tente d'établir un lien de confiance avec cet animal.

— Je peux venir te rejoindre?

Tout en continuant à converser avec le dauphin, elle me fait un signe de la main; elle semble m'inviter à la rejoindre, en même temps qu'elle semble me dire de rester là où je suis. Maintenant, on dirait qu'elle me montre le large. Que veut-elle, au juste ?

— Tu peux y aller, me dit Carlos, mais tiens-toi derrière elle.

J'aurais préféré être à ses côtés, mais je comprends qu'à nous deux, nous pourrions apeurer le mammifère. Suivant la consigne, je me tiens sagement en retrait. Alandra est maintenant tout près du petit dauphin. Elle peut pratiquement le toucher. Épuisé, le mammifère a du mal à plonger sa tête dans l'eau.

— Alandra, essaie de l'amener sur le brancard, lance Carlos. Toi, William, fais un demi-cercle et va te poster derrière lui. Garde cette même distance, tu fais un excellent travail.

Moi, William Tremblay, je participe au sauvetage d'un dauphin ! Lorsque je raconterai ça à mes amis, à mon école, c'est sûr que plusieurs d'entre eux ne me croiront pas. Heureusement, ma sœur Laurie prend des photos de notre aventure sur le pont.

Après de longues minutes, Alandra a enfin placé sa main sous le menton du petit dauphin, et doucement, elle le conduit sur le brancard maintenant submergé. Le voyant bien installé, Carlos actionne le treuil pour remonter la civière. La jeune Mexicaine se redresse afin de ne pas se retrouver prisonnière sous le poids du mammifère, mais elle reste à ses côtés, tout en poursuivant sa performance vocale. Le petit dauphin ne bouge plus. Il reste là, immobile, jusqu'à ce que, de nouveau, il sente l'eau fraîche du bassin dans lequel le brancard le submerge.

— Il est vraiment souffrant, décrète Carlos.

— Tu as raison, ajoute maman. Si nous voulons le sauver, il faut faire vite.

Et ils font vite ! Pendant que Carlos imbibe un tissu de chloroforme et endort le jeune mammifère, maman prépare la microcaméra qui servira à faire la gastroscopie. En moins de cinq minutes, le diagnostic est établi : cet animal a avalé un sac en plastique.

— Quoi ! s'exclame ma sœur. Moi qui croyais que ces animaux étaient intelligents !

— Ce n'est pas une question d'intelligence, reprend maman. Avec la lumière du soleil, un sac en plastique qui flotte entre deux eaux peut facilement être confondu avec une anémone de mer.

— Tu veux dire que pour un dauphin, un sac en plastique peut être confondu avec de la nourriture ?

— Hélas, oui.

— Il faut que nous l'opérions sur-le-champ, affirme Carlos.

— Tu as tout ce dont tu as besoin ? demande maman, un peu sceptique.

— J'ai prévu un plateau de chirurgie pour ce moment. Je l'ai rangé dans la cabine de pilotage. Crois-moi, j'ai tout le matériel nécessaire.

— Nous devons faire quelque chose, lance ma sœur.

— Je crois que mon père et ta mère font ce qu'il faut.

— Je parle des sacs qui, comme des assassins, guettent sournoisement ces pauvres dauphins. Ils ne se doutent de rien !

En regardant ma sœur, je comprends qu'elle vient tout juste de se trouver une nouvelle cause : sauver les mammifères marins en faisant la guerre aux sacs en plastique.

— Et comment comptes-tu faire ça? Devenir plongeuse et ramasser tous les sacs qui traînent dans l'océan?

— Je te croyais plus allumé, William.

— C'était juste une blague.

— Une blague! Dans un tel moment! Il faut que cesse cette hécatombe.

— *Hécatombe*, ne trouves-tu pas que tu y vas un peu fort?

— Je ne crois pas, dit Alandra qui, pour un court instant, laisse son père des yeux. Chaque année, des milliers de mammifères marins meurent parce qu'ils ont ingurgité l'une de ces saloperies.

— Merci pour ce témoignage, déclare fièrement ma sœur. J'espère que maintenant, tu saisis l'importance de cette cause, lance-t-elle en me foudroyant du regard.

— Papa est un magicien, déclare Alandra en montrant du doigt un sac maculé de sang que le chirurgien tient au bout d'une pince chirurgicale. Il a subi les affres des sucs gastriques du pauvre dauphin.

— Bravo, dit maman. Tu l'as sauvé !

Sans perdre une seconde, Laurie prend quelques photos qui, j'en suis certain, lui seront fort utiles le moment venu.

— Pas encore, Anaïs, il est à deux doigts d'une perforation stomacale. Je vais lui enlever la partie de l'estomac qui est en charpie et lui en refaire un petit tout neuf.

— Va-t-il être encore capable de s'alimenter ? demande Alandra, inquiète.

— Plus tard, ma chérie, je dois me concentrer…

Pendant de longues minutes, penché sur son patient et aussi minutieux qu'avec les humains, Carlos répare les dégâts causés par la présence de ce corps étranger dans l'estomac du mammifère. Il en est à la dernière suture de l'abdomen du dauphin lorsqu'il lève la tête et nous adresse un sourire.

Avant qu'il émette un seul mot, le déclic de l'appareil photo brise le silence à deux reprises.

— Voilà, j'ai fait de mon mieux, j'espère que ce sera suffisant.

— Sans le moindre doute, répond maman en plongeant son regard dans le sien.

— Pour en revenir à ta question, Alandra, il va être capable de s'alimenter, mais pour les premiers jours, nous devrons le mettre à la diète. Dans une quinzaine de jours, il pourra manger tous les poissons que nous voudrons bien lui donner.

— Tu vas le garder dans le bassin, devant chez toi ? demande maman.

— Oui, comme je l'ai expliqué à William, je l'ai fait aménager spécifiquement pour ça. Peut-être même que les enfants pourront m'aider à le nourrir.

— Bien sûr, papa. Nous suivrons tes directives.

Pendant que nous rentrons au port de Zihuatanejo, Carlos communique avec les gens de l'Institut océanographique afin qu'ils transportent le petit dauphin jusqu'à son infirmerie. C'est le nom que le chirurgien donne au bassin qu'il a fait aménager.

CHAPITRE 12

Un nouveau pensionnaire

Lorsque nous nous levons, Carlos et Alandra sont déjà au bassin et s'occupent du jeune dauphin. Sans perdre un instant, je vais les rejoindre, pendant que maman et ma sœur déjeunent avec tante Consuelo.

Les mains sur les hanches, je demande à mon amie :

— À quelle heure l'ont-ils amené ?

— Quatre heures trente, répond-elle en surveillant tous les gestes de son père.

— Qu'est-ce qu'il fait ?

— Il essaie de le convaincre d'avaler quelques bouchées de pâte de poisson. Comme tu peux le constater, ce n'est pas un succès.

— Pourquoi ne s'approche-t-il pas ?

— Selon papa, il est encore sous le choc. Ce pauvre animal a été endormi, opéré et maintenant, il se retrouve dans cet endroit qui doit lui sembler des plus étrange.

— Ton père a certainement raison. Moi aussi, si j'avais subi le même sort, je serais sans appétit.

— Et ce serait la même chose pour moi. Mais je suis confiante. Papa trouvera un moyen de le nourrir.

— Alandra, William, vous pouvez venir un peu ici ?

Craignant effrayer le dauphin, je m'avance, tout en restant un peu en retrait.

— C'est bien, William, garde cette distance. Dans quelques minutes, lorsque vous serez seuls, tu t'approcheras lentement.

— Oui, *señor* Carlos.

Alandra prend la place de son père. Dans un geste lent, elle tend le bras et tient, le plus haut possible, une boulette de pâte de poisson afin que le petit mammifère puisse en percevoir l'odeur.

— Je vais te laisser t'en occuper avec William. Pendant ce temps, je vais téléphoner à Gaspar Ramirez, de l'Institut océanographique. Je veux vérifier s'ils ont eu des problèmes lors du transport de l'animal.

— Prends ton temps ; William et moi, nous nous en occupons.

— J'en suis certain, dit-il en s'éloignant.

Sitôt que son père disparaît dans le sentier menant à la villa, Alandra commence à lui faire la conversation. Après dix minutes, le petit dauphin s'est approché à moins de trois mètres, mais ses mâchoires restent closes et il semble déterminé à les garder ainsi.

— Viens, William, peut-être qu'à deux, nous réussirons à le faire manger.

En la contournant, sans le faire exprès, je heurte son coude et la bouchée qu'elle tenait se retrouve à l'eau. Dans un mouvement vif, le dauphin la gobe et s'éloigne aussitôt. De loin, il nous reluque de son air moqueur. Alandra lui lance une autre bouchée à même distance et, à nouveau, le dauphin s'en empare.

— Tu as trouvé le truc, dit-elle, en donnant une nouvelle bouchée à notre patient.

Regarde, il l'a de nouveau mangée. Si nous le sauvons, nous te devrons une fière chandelle.

Un peu gêné, je réponds :

— Il ne faut pas exagérer. Il s'agit tout au plus d'un heureux hasard.

— Approche, c'est à ton tour de le nourrir. Viens, tu le mérites.

Après lui avoir donné deux petites boulettes de poisson qu'il a mangées sans hésiter, je laisse tomber la troisième, juste au bout de ma main, à peine à deux centimètres du bout de mes doigts. Le jeune dauphin regarde la nourriture, mais hésite. Alandra émet quelques sons. Il la regarde de ses yeux moqueurs, plonge et s'éloigne à l'autre extrémité du bassin.

— Il n'est pas prêt, déclare Alandra. Si nous sortions du bassin ?

— J'allais te le suggérer. Nous l'observerons de la plage.

À peine avons-nous quitté les lieux que le dauphin s'avance et gobe la boulette pâteuse qui flotte à fleur d'eau.

— Il semble aller déjà beaucoup mieux, Alandra !

— Tu as raison, allons voir papa afin de tout lui raconter.

Nous regagnons la maison à la course. Carlos est attablé avec sa sœur, maman et Laurie qui, comme à l'accoutumée, a deux tartines devant elle.

— Nous avons réussi ! lance Alandra en mettant le pied dans la salle à manger.

— Il a donc mangé, fait Carlos d'une voix presque enjouée.

— Oui, et c'est grâce à William.

Sans que son père l'interroge, elle lui raconte l'anecdote.

— Parlez-moi d'un heureux hasard !

— Il s'agit bien de cela, *señor* Carlos. Jamais je n'aurais voulu heurter le bras d'Alandra pendant qu'elle essayait de nourrir le dauphin.

— C'est ça qui est merveilleux avec le hasard. Sans qu'on le veuille, sans qu'on le provoque, il se produit. Et voilà ! Il vous a permis de trouver le moyen de faire manger notre pensionnaire. Je suis vraiment fier de vous deux.

— Nous lui avons donné environ six ou sept bouchées, précise Alandra. Nous retournerons le nourrir dans une heure.

— C'est excellent, dit Carlos, mais je veux que vous attendiez au moins deux heures avant de lui donner autre chose. Je veux être certain qu'il aura tout digéré.

— Mais papa, nous lui avons donné que six ou sept bouchées.

— Je crois que ton père a raison, ajoute ma mère. Sais-tu comment fonctionne le système digestif des dauphins ?

— Pas vraiment, répond Alandra, qui a de grands points d'interrogation dans les yeux.

— Il est semblable à celui des ruminants ; le dauphin a trois estomacs. Il a une première poche stomacale dans laquelle les aliments sont broyés. Elle est parfois appelée préestomac. Les aliments broyés passent ensuite dans une autre poche où sont sécrétés des sucs digestifs. Cette partie peut se comparer à notre estomac à nous, les humains. C'est dans cet estomac que ton père a retiré le sac en plastique. La troisième partie, c'est l'estomac pylorique, où se termine la digestion, avant que les aliments passent dans l'intestin.

Tous les trois, nous écoutons attentivement les explications que donne maman. Je suis fier de constater jusqu'à quel point elle est savante. Elle est de toute évidence aussi savante que Carlos.

— Le délai de deux heures que t'a imposé ton père est vraiment un délai minimum. Il nous permettra de nous assurer que votre pensionnaire n'a pas de problèmes digestifs.

— Je comprends, dit Alandra. Qu'il ait de nouveaux problèmes est certainement la dernière chose que nous voulons. N'est-ce pas, William ?

Venant de prendre une énorme bouchée de ma rôtie, je me limite à un signe de tête afin de lui signifier que je suis d'accord avec elle.

— Que cette petite restriction ne vous empêche pas de retourner le voir, et même de vous amuser dans le bassin.

— Ne crains-tu pas que nous l'effrayions ?

— Pas si vous restez à une certaine distance de lui. L'important, c'est que vous soyez patients. Attendez qu'il s'approche de vous. Je serais surpris que cela soit bien long.

— Je vais y aller avec vous, dit ma sœur.

— Croyez-vous qu'elle peut venir, *señor* Carlos ?

— Bien sûr. Je pense même qu'elle pourra prendre de magnifiques photos.

— Vous avez raison, je vais apporter l'appareil photo.

CHAPITRE 13

Suivons le plan de Carlos

Après avoir pris un copieux déjeuner, nous retournons à la plage, accompagnés de Laurie, qui porte l'appareil photo de maman en bandoulière.

— Vous lui avez donné un nom, à votre dauphin ?

— Pas encore, répond Alandra. Si nous réussissons à le sauver, nous passerons à cette étape. À ce moment-là, ton aide nous sera fort utile.

— Il faudra lui trouver un nom accrocheur. L'appeler Patate, Carotte ou Navet, ce ne serait pas terrible, dit-elle en riant. Il faudra vraiment lui trouver un joli nom.

— Regardez, il n'est plus là !

— Il nage sous l'eau, répond mon amie. Il explore son nouveau territoire et il doit certainement chercher comment s'enfuir.

— Tu crois qu'il veut déguerpir ?

— N'en ferais-tu pas autant? me demande ma sœur. Il n'est pas ici de son plein gré.

— Même si vous avez toutes les deux raison, j'ai hâte de lui revoir la binette.

— La quoi ? me demande Alandra.

— Binette, ça veut dire « visage », déclare ma sœur, avant même que j'aie le temps d'ouvrir la bouche.

— Regardez, on lui voit la binette, lance Alandra en souriant.

Je suis soulagé. Penser qu'il aurait pu s'enfuir m'a chaviré le cœur. Le dauphin aurait pu mourir s'il s'était sauvé avant d'être guéri. Sa fugue aurait certainement annulé mes chances de nager avec un dauphin. Il ne nous reste que deux semaines avant notre départ, aurons-nous le temps de l'apprivoiser ?

Laurie s'empresse de prendre quelques photos avant que le mammifère disparaisse de nouveau sous l'eau.

CHAPITRE 14

Essayons encore

Je suis de plus en plus dépité. Le petit dauphin s'entête à garder ses distances. Son attitude sème le doute dans mon esprit et, contre toute attente, je ne réussirai pas à nager à ses côtés. Alandra et ma sœur me surveillent constamment afin que je ne prenne pas d'initiatives qui pourraient effrayer notre pensionnaire. J'en ai plein le dos d'être épié. Ce matin, au déjeuner, j'ai dit aux filles de me lâcher un peu. Je sais, tout autant qu'elles, comment me comporter en personne responsable.

— Nous te surveillons parce qu'il y a des gestes qu'il ne faut pas que tu poses, lance ma sœur en décochant une œillade à mon amie.

— Ha, ha, ha. Tu es vraiment hilarante.

— Qu'est-ce qu'il veut dire? demande Alandra.

— Il veut dire que je suis très drôle.

N'est-ce pas, William ?

Je réponds entre mes dents et je mens afin de clore le sujet :

— Ouais, c'est exactement ce que je voulais dire.

Je préfère me taire tellement je suis contrarié. Ma sœur, qui n'a pas plus envie de nager avec notre petit dauphin que de s'acheter une grue mécanique, a saisi en un rien de temps comment imiter les sons qu'émet Alandra. Elle est presque devenue une experte. Hier, notre petit patient s'est approché à un mètre d'elle. Il est sorti à moitié de l'eau, comme pour lui dire bonjour, et il s'est laissé tomber sur le dos avant de disparaître dans les vagues. Elle n'était pas peu fière et elle avait raison. Moi, j'essaie encore.

Le temps file et j'ai beau leur répéter que si je veux réaliser mon rêve, je dois tenter quelque chose, mais elles restent sur leur position : il n'est pas question que je fasse un geste susceptible d'effrayer le mammifère. Je ne suis pas certain que mon amie réalise qu'il ne reste que quelques jours avant que nous rentrions à Montréal.

Une semaine, c'est hyper court quand on a un rêve comme le mien et qu'on le sent glisser entre ses doigts.

Alors que nous descendons à la plage afin de rejoindre maman et Carlos, voyant sans doute que je suis triste, ma sœur me lance :

— Tu y arriveras. Tu réussiras à nager avec lui.

— Moi aussi, j'en suis certaine, ajoute Alandra. Hier, il s'est approché de Laurie. Il devient de plus en plus confiant.

— J'aimerais penser comme vous.

— Ce n'est pas ce qu'il faut dire, m'interrompt ma sœur. Si tu veux vivre ton rêve, tu dois y croire plus que ça ! Il faut que tu dises : vous avez raison, je réussirai.

Je répète la phrase en l'embrassant sur la joue :

— Tu as raison, je réussirai.

Dès que nous rejoignons Carlos et maman, ce dernier nous invite à faire une excursion en mer. Sans hésiter, Laurie et

Alandra annoncent qu'elles sont partantes. Moi, je ne sais pas. Si je ne profite pas de cet après-midi, demain, il ne me restera que six jours. Peut-être que seul, pendant que les autres seront en mer, je pourrai enfin convaincre le dauphin de s'approcher de moi.

— Et toi, William ? me demande maman.

— J'aimerais bien faire une nouvelle excursion, mais...

— Il y a toujours son rêve, lance ma sœur.

— Carlos, pourrais-je passer l'après-midi avec Torpedo ?

— Torpedo ? interroge maman.

— Nous lui avons donné ce nom, car il nage souvent très rapidement, en ligne droite, en ne laissant voir que sa dorsale.

— Moi, j'avais suggéré Torpille, clame fièrement ma sœur. Mais comme nous sommes au Mexique, à la suggestion d'Alandra, nous l'avons appelé Torpedo.

— Et toi, Carlos, que penses-tu de cette

trouvaille ?

— Si les enfants aiment ce nom, pourquoi pas. Et toi, Torpedo, tu l'aimes ton nom ? lance-t-il à haute voix.

À la surprise de tous, le dauphin se dresse sur sa caudale et émet des sons saccadés qui, au dire de notre experte en langage dauphin, signifient qu'il aime beaucoup ce nom.

Tout cela est bien beau, mais je n'ai pas encore eu ma réponse.

— *Señor* Carlos ? Vous accepteriez que je reste avec Torpedo ?

— Si tu m'assures que tu ne tenteras

rien qui pourrait l'effrayer, je suis d'accord. Tu pourras même lui donner sa collation de seize heures. Cela évitera à Juan de le faire.

— Merci, *señor*. Je ne tenterai rien qui pourrait l'effaroucher, c'est promis.

— Je le sais, répond-il en me donnant une tape amicale sur l'épaule.

— Quand partirons-nous ? demande Alandra.

— Le temps de nourrir votre ami Torpedo, et nous serons prêts.

Comme c'est le tour d'Alandra et de Laurie, je reste en retrait. Assis sur le sable, je réfléchis à une stratégie afin de déjouer la méfiance du mammifère.

— Je vais te préparer une collation, m'a dit maman avant d'achever les derniers préparatifs. Promets-moi que, vers treize heures, tu monteras te restaurer. Et badigeonne-toi de crème solaire.

Parfois, maman oublie que j'ai dix ans. C'est vraiment gênant quand elle me rappelle de mettre de la crème solaire, et ce, devant mon amie Alandra qui, chaque fois, me regarde avec un petit sourire en coin. Une chance que mamie Lucie m'a expliqué que toutes les mères sont comme ça. Semble-t-il qu'elles le font parce qu'elles nous aiment. Cela m'aide à pardonner à la mienne.

Dès que ma sœur et Alandra se sont acquittées de leur tâche de nourricière, elles vont rejoindre maman et Carlos à la villa. Je reste assis sur le sable en regardant Torpedo. Il nage en longeant le grillage de l'enclos. Il semble en explorer chaque partie, cherchant sans doute un endroit par lequel il pourrait s'enfuir.

Selon Carlos, cette clôture est sans failles ; pour regagner le large, Torpedo devra faire un bond prodigieux afin de franchir le grillage. Malgré cela, l'inquiétude envahit mon esprit. Si par hasard il trouvait un petit trou pour se faufiler... Ce serait la catastrophe.

Cesse de te raconter des balivernes, que je me répète intérieurement. Fais confiance à Carlos. S'il dit que cet enclos est sans failles, c'est qu'il est sans failles. Dis-le-toi une fois pour toutes : ce dauphin sera encore là, longtemps après que tu seras parti.

CHAPITRE 15

Je ne me décourage pas

J'essaie de reproduire les sons qu'émettent les filles pour attirer Torpedo depuis plus d'une heure. Je lui crierais des bêtises que le résultat serait le même. Il ne veut rien savoir de mes simagrées. Ne trouvant mieux à faire, je plonge et je fais quelques brasses avant d'aller voir ce que maman m'a préparé comme collation.

Je nage tout autour du bassin sans me préoccuper du dauphin. En longeant la grille qui donne sur le large, je passe à moins de trois mètres de lui. Il reste là, ne faisant aucun cas de moi. Je pourrai au moins raconter à mes amis que j'ai nagé dans un bassin où il y avait un dauphin. Que j'ai même nagé à quelques mètres de lui.

De retour sur la plage, je lance le ballon au centre de l'enclos et je regagne la villa. Tante Consuelo est assise à table, et en m'apercevant, elle me demande :

— *¿Tu nadaste con el delfin?*

— Je ne comprends pas ce que vous me demandez, *señora.*

— *Nadar*, reprend-elle en faisant des mouvements de brasse.

— Oh... Nager. *No señora.*

— *El es muy timido.*[1]

— *Si, muy timido.*[2]

Elle me sourit gentiment et se concentre de nouveau sur son assiette.

En moins de cinq minutes, j'enfile le sandwich qui m'attendait au frigo. Je m'enduis de crème solaire, je prends deux bouteilles d'eau et je retourne à la plage.

« Les gens qui réussissent sont ceux qui ne lâchent pas », me dit souvent papi. De toute évidence, il a raison. Si Torpedo s'entête à être « *muy timido* », comme le dit tante Consuelo, moi, je suis déterminé à user de patience et à essayer de l'amadouer jusqu'à ce que maman me crie qu'il est temps que je me change parce que nous allons rater l'avion. Si je ne réalise pas mon rêve, je pourrai au moins être fier

---

1 Il est timide.

2 Oui, très timide.

d'avoir essayé jusqu'à la dernière minute et d'avoir passé de si belles vacances.

Lorsque je sors du sentier, j'aperçois Torpedo qui est pratiquement adossé au grillage donnant sur le large et le ballon que j'avais lancé roule dans les petites vagues qui viennent mourir sur le sable. Est-ce Torpedo qui me l'a rapporté, ou est-ce le vent? Afin de résoudre cette énigme, je relance le ballon, aussi loin que je le peux. Torpedo reste immobile et le ballon se balance sur l'onde.

De nouveau, un nuage de tristesse traverse mon esprit. J'aurais tellement voulu le voir se précipiter sur ce ballon et qu'il me le renvoie comme le fait Flipper. Alandra avait raison : « La vie, ce n'est pas comme dans les films. » Assis sur le sable, j'attends le miracle. C'est sûrement le vent qui a poussé le ballon pendant que je mangeais. Il faut que je persévère. Il y a sûrement un moyen d'apprivoiser le dauphin. À moi de le trouver.

Je lui répète doucement :

— Allez, Torpedo. Rapporte-moi ce ballon. Allons, un petit effort.

Malgré mon insistance, le dauphin reste immobile.

Comme je suis à deux ou trois soupirs de ne plus y croire, le mammifère s'élance et, de son nez, pousse le ballon jusqu'à la grève. Sans hésiter, je relance le ballon et j'attends la réaction de Torpedo. Je suis à peine assis qu'il effectue la même prouesse.

— Bravo, Torpedo !

Je relance le ballon à cinq reprises et, chaque fois, il réagit de la même façon. Je ne cesse de le féliciter. J'aimerais tellement qu'Alandra et Laurie soient là pour voir ça. Mais peut-être pas non plus. Il faudrait lancer le ballon, chacun à notre tour, et cela risquerait d'effrayer mon nouvel ami. Il est préférable que je sois seul avec lui. Lorsqu'il sera apprivoisé, les filles pourront, elles aussi, s'amuser avec lui.

Sentant que Torpedo est moins méfiant, j'entre dans l'eau jusqu'à la ceinture et je continue à lui lancer la grosse balle multicolore. Sans hésiter, il la pousse et la repousse avec son nez.

Chaque fois qu'il répète ce geste, je suis émerveillé. Je suis certain que je ne suis qu'à quelques lancers de mon rêve. Je me félicite de ne pas avoir fait l'excursion avec les autres.

Ne voulant pas trop fatiguer notre patient, je retourne sur la plage en apportant le ballon. Sitôt assis sur le sable, je le vois se dresser sur sa nageoire caudale et émettre des sons, comme s'il m'appelait. Je retourne dans l'eau et je m'allonge sur le dos. J'installe le ballon sur mon abdomen, le faisant tenir sur la petite cavité de mon nombril, et je me laisse dériver au gré de la brise légère. Sans méfiance, Torpedo s'approche, et d'un coup de museau, il fait voler le ballon et se met à nager autour de moi. Je suis tellement heureux que, de la villa, tante Consuelo doit entendre battre mon cœur. Je plonge, il plonge ; je nage, il nage. Je lui lance le ballon, il me le renvoie. J'imagine les belles photos que fera Laurie. Quelle publicité ce sera pour sa campagne de sensibilisation ! Je pense qu'après ça, plus personne ne laissera traîner un sac en plastique sur une plage. Qui voudrait être la cause de la mort d'un animal aussi gentil ? J'ai hâte que maman, Carlos, Alandra et Laurie reviennent de leur excursion. J'ai tellement de choses à leur raconter !

Torpedo est increvable. Je lui lance et relance le ballon, qu'il ne se lasse pas de me retourner. Si je prends quelques instants de répit, il se dresse sur sa caudale, l'air de me dire : « Ne me dis pas que tu es fatigué, lance-le, ton ballon ! »

Lorsque vient l'heure de son repas, je range la grosse balle multicolore et je reviens avec le plat de morceaux de poissons. Étant certain qu'il est maintenant apprivoisé, je lance la première bouchée à moins d'un mètre. Il reste immobile.

— Viens, Torpedo, viens !

Il n'y a rien à faire, il reste là où il est, sans bouger.

Je lui lance une nouvelle bouchée, à quelques mètres, comme nous le faisons depuis plus d'une semaine. Sans hésiter, il se précipite, la gobe et retourne se placer au fond de l'enclos.

Je crie en lançant très haut un morceau de poisson qui retombe tout près de moi.

— Viens, Torpedo, viens !

Il ignore autant le morceau de nourriture que mon appel. Je suis désemparé. Je ne comprends rien à ses réactions. Je croyais pourtant l'avoir apprivoisé. *Mais pourquoi ne vient-il pas ?*

« Se décourager ne donne rien, répète souvent papi. Il faut chercher une solution, car il y a toujours une solution. »

C'est ce qu'il me dirait s'il était là. Je sais qu'il a raison, mais quelle est cette solution ? Tout l'après-midi, j'ai joué avec lui sans qu'il se lasse, et voilà que maintenant, il me craint comme s'il ne me connaissait pas. Tout en réfléchissant, je lui lance des bouchées de poissons à une distance raisonnable. Et si c'était le ballon qui l'attirait ? Pas une seule fois il ne m'a approché si je n'avais pas ce ballon. Vivement, je vais chercher le ballon et je le lance. Sitôt reçu, il me le retourne. Je le garde près de moi et j'attends sa réaction.

— Viens, Torpedo, viens !

En deux coups de nageoires, il est à moins d'un mètre de moi. Comme j'approche ma main pour lui faire une caresse, il s'éloigne. Je me rappelle la promesse que j'ai faite à Carlos. Ne rien faire qui puisse l'effrayer. Il est clair qu'il ne veut pas que je le touche. Je lance la grosse balle multicolore aussi haut et aussi loin que je le peux et, à peine a-t-elle atteint l'eau que d'un coup de museau, il me la retourne. Je la garde de nouveau et, une fois de plus, il s'approche. Il est à un demi-mètre de moi. Je laisse tomber une nouvelle bouchée et je place ma main derrière mon dos, afin de lui montrer que je ne veux pas le toucher. Il s'approche à quelques centimètres et il gobe la bouchée. Je répète le geste cinq, six, sept fois, et sa réponse est toujours la même. Enfin, je le nourris au bout de mes doigts !

— J'ai gagné, j'ai gagné !

Si je ne me retenais pas, je le crierais à m'époumoner. Mais je me retiens ; il n'est pas question que j'effraie Torpedo.

Parfois, les adultes sont bien utiles. Maman ou Carlos saura m'expliquer pourquoi, sans cette grosse balle multicolore, Torpedo refuse de s'approcher de moi.

CHAPITRE 16

Le projet de Laurie

L'horloge grand-père qui trône dans la salle commune a déjà sonné les vingt heures lorsque les excursionnistes reviennent. À peine ma sœur et Alandra ont-elles franchi le seuil de la porte que je leur raconte mon après-midi. Elles n'en croient pas leurs oreilles. Toutes les deux, elles ont hâte à demain afin de jouer, elles aussi, avec Torpedo.

— C'est vraiment extraordinaire, me dit Alandra en m'adressant un sourire.

— Qui a-t-il d'extraordinaire ? demande maman qui passe près de nous.

— William a nagé avec Torpedo, lui apprend mon amie.

— Le souper est servi, annonce Carlos.

Pendant une bonne partie du repas, tout le monde porte son attention sur moi. Je raconte de nouveau mon exploit à Carlos et à maman, qui n'avaient pas encore entendu mon histoire. Même tante Consuelo, qui ne connaît pas notre langue, semble comprendre que j'ai réussi à nager avec le petit dauphin. Quant au ballon multicolore, ni maman ni notre hôte ne savent précisément pourquoi il attire l'attention du mammifère. C'est peut-être parce que les dauphins aiment jouer, mais cela n'est qu'une hypothèse. Maman me promet qu'à notre retour, elle fera des recherches pour répondre à ma question. Elle est certaine qu'il y a, quelque part, des informations sur le sujet.

— Demain, je prendrai des photos de vous trois jouant avec Torpedo, ajoute-t-elle pour conclure.

— Nous avons trouvé un autre dauphin qui avait avalé l'un de ces satanés sacs, lance ma sœur. Deux dauphins amochés en deux sorties. Il est temps que le massacre finisse !

— Est-ce toi qui l'as appelé ?

— C'est Alandra. Moi, j'étais trop fâchée. Et tu sais comment je suis lorsque je me mets en colère, j'aurais été incapable d'émettre un seul son. Même si je n'en avais pas encore la preuve, j'étais certaine que ce pauvre dauphin était une autre victime innocente d'un petit sac oublié.

— Je n'ai fait que quelques vocalises et il était déjà collé au voilier. Il s'est presque jeté sur le brancard.

— Et ce sont les gens de l'Institut océanographique qui l'amèneront demain ?

— Pas cette fois, dit gravement Carlos. Nous avons tout essayé, ta mère et moi, mais il était malheureusement trop tard. Le sac qu'il avait gobé était bloqué dans son second estomac depuis je ne sais combien de jours, mais à voir l'état de cet organe complètement ulcéré et perforé à plusieurs endroits, je dirais qu'il a dû avaler ce sac il y a plus d'une semaine.

— Est-il mort pendant que vous l'opériez ?

— Oui, répond maman en touchant la main de son ami, qui semble soudainement bien triste.

— Le travail d'un chirurgien consiste à sauver des vies. Et pour moi, une vie de dauphin est une vie, dit-il en baissant les yeux.

— J'ai pris plusieurs photos, annonce ma sœur, souhaitant faire diversion. Je vais les publier sur le site Web que je vais mettre en ligne.

— Tu veux créer un site Web ? Sais-tu comment procéder ?

— Non, mais ce n'est pas un problème. Il y a une foule de gens qui se spécialisent dans le domaine.

— Et tu en connais, des gens qui savent comment faire ?

— Non, mais lorsque j'aurai parlé de mon projet à la directrice de notre école, je suis convaincue qu'elle en comprendra l'importance et qu'elle m'aidera à trouver une personne qui conçoit des sites Web. À mon avis, une campagne comme celle-là ne doit pas se limiter à notre école.

D'un air taquin, j'ajoute :

— Un site Web avec ton nom et ta photo ? Tu vas devenir célèbre !

— Ce n'est pas vraiment le but, réplique Laurie à brûle-pourpoint. Ce que je veux, c'est que tous les jeunes, autant ceux de notre école que ceux de partout ailleurs, comprennent le danger que peut représenter un sac en plastique abandonné sur une plage ou dans un autre lieu. S'ils comprennent que ces petits sacs, qui semblent inoffensifs, peuvent devenir des sacs assassins, ils cesseront de les laisser traîner un peu partout. Et pour ce qui est de la célébrité, il y aura aussi des photos de maman, du *señor* Carlos, d'Alandra et de toi. Mais la vedette de ce site Web, ce sera évidemment Torpedo.

— Tu es géniale, ma sœur !

Je l'embrasse sur la joue.

— On se calme, lance-t-elle en s'essuyant la joue.

— Tu pourrais aussi faire ton site Web en espagnol et en anglais, propose maman.

— Ce serait bien, lance Alandra. Les jeunes d'ici pourraient aussi le consulter.

— Et tu pourrais narrer à voix haute les histoires que je vais rédiger dans votre langue.

— Je ne sais pas, dit notre amie, dont les joues empruntent la couleur d'un coquelicot. Il y a des filles dans mon école qui ont une plus belle voix que la mienne.

— Et dans la mienne aussi, déclare Laurie. Ce que je veux, c'est un site Web où l'important, ce sera le message, et non pas la voix des narratrices.

— Je vais y penser, dit-elle en souriant à demi.

— Tu serais excellente, ajoute Carlos, et votre site Web aura de l'impact.

— Moi aussi je partage cet avis, ajoute maman. Ce ne sont pas tous les gens qui laissent traîner leurs sacs en plastique qui, après avoir consulté ton site, changeront leurs habitudes, mais si quelques-uns modifient leur comportement, ce sera ça de pris.

— Il me semble, maman, qu'il faut avoir un peu plus d'ambition. Admets que quelques-uns, ce n'est pas beaucoup.

— Même si ta campagne ne sauvait qu'un seul mammifère marin, ajoute Carlos, dis-toi que ce serait déjà un succès.

— Que dites-vous là, *señor* Carlos ? Vous êtes encore plus pessimiste que ma mère ! À mon avis, à la suite de ma campagne, ce sont des centaines de mammifères marins qui seront sauvés.

— Ce que Carlos veut dire, ma puce, c'est que même si tes interventions ne sauvaient qu'un seul mammifère, tu n'aurais pas tout fait ça en vain.

— J'avais compris. Mais admettez, *señor*, que votre supposition aurait pu contenir un chiffre supérieur à un.

— Je te l'accorde, Lauric. Quelqu'un veut un morceau de ce gâteau que Consuelo nous a préparé ?

— Moi j'en veux, répond immédiatement ma sœur qui semble oublier, pour l'instant, les résultats espérés de sa campagne de sensibilisation.

CHAPITRE 17

Bravo Torpedo !

Alandra ne cesse de me féliciter, chaque fois que Torpedo me renvoie le ballon. Selon mon amie, j'ai un talent particulier pour apprivoiser les dauphins. Venant d'elle, je suis aux anges. Je pense que je lui plais. Ma sœur démontre un peu moins d'enthousiasme. Elle est convaincue que si elle avait choisi de rester ici au lieu de faire l'excursion d'hier, elle serait arrivée aux mêmes résultats.

— Peut-être, mais le fait est que c'est moi qui suis resté.

En disant cela, je relance la grosse balle multicolore. Torpedo me la retourne sans hésiter.

— Donne-la-moi, je vais essayer.

Sitôt que le ballon touche l'eau, le petit dauphin nous le renvoie.

— Je te l'avais dit, fait-elle d'un air arrogant.

— C'est certain qu'il va te renvoyer le ballon, c'est à ça que je l'ai habitué !

— Viens lui lancer la grosse balle, Alandra. Il te la retournera à toi aussi, dit ma sœur.

— Je vais essayer une fois, mais nous ne devons pas trop le fatiguer. Il ne faut pas oublier qu'il est encore en convalescence.

— Tu as raison, avoue Laurie. Il n'est pas question, non plus, que ce pauvre dauphin devienne une bête de cirque, déclare-t-elle en me jetant un coup d'œil.

Piqué au vif, je réplique :

— Qui te parle d'en faire une bête de cirque ? J'essaie seulement de l'apprivoiser.

— C'est l'heure de son repas, fait notre amie. Et si nous le nourrissions tous les trois ?

Chacun notre tour, nous lui lançons un morceau de poisson qu'il gobe gloutonnement. Lorsque le plat est vide, il nous surprend en s'approchant d'Alandra et en mettant son nez dans le bol, comme s'il voulait savoir si nous avions encore quelques morceaux. Nous restons tous les trois immobiles, n'osant même pas nous regarder, craignant de l'effrayer. Lorsqu'il retourne au fond de l'enclos, je ne peux m'empêcher de pousser un « ouais » très sonore. Alandra sursaute et ma sœur, sérieuse comme trois papes, me désapprouve du regard.

Je touche le bras de mon amie en lui disant :

— Je ne voulais pas te faire sursauter.

— *Ouais* ça veut dire : « je suis content ».

Je confirme ses propos en souriant.

— Tu as failli me défoncer le tympan, lâche ma sœur. Imagine ce pauvre Torpedo, dont l'ouïe est au moins cent fois plus sensible que le nôtre. Il a dû penser que le tonnerre lui tombait sur la tête.

— Tu as raison. La prochaine fois, je le dirai moins fort.

Tout au long de la journée, à tour de rôle, tout en respectant les périodes de repos que nous impose Alandra, nous nous amusons à lancer le ballon multicolore au dauphin, qui nous le retourne sans jamais se lasser. Lorsque nous délaissons ce jeu pour nager ou nous lancer le *frisbee*, il s'approche et nage autour de nous.

Ma sœur, lancer le *frisbee*, ce n'est pas ce qu'elle fait de mieux. Qu'elle ne me dise pas le contraire, car pas une fois, le disque volant ne s'est rendu jusqu'à moi. Chaque fois, il est tombé à un mètre ou deux devant moi, à ma droite ou à ma gauche, mais jamais à portée de main.

— Laurie, concentre-toi. Vise un peu au-dessus de ma tête et lance le *frisbee* de toutes tes forces. Peut-être qu'enfin, je pourrai l'attraper.

Quand ma sœur s'applique, elle s'applique. On peut même apercevoir sur son visage la grimace qui accompagne ses efforts. Cette fois-là, elle redouble sa concentration. Sur le bout des orteils, les muscles tendus, je suis prêt à bondir pour attraper le disque volant. Il quitte la main de ma sœur, monte, monte et passe au moins un mètre cinquante au-dessus de ma tête.

— Wow ! que penses-tu de ce lancer, crie-t-elle en regardant filer le *frisbee*.

C'était tout un lancer. Elle semble si contente de son exploit que ce n'est pas moi qui briserai sa joie. Je n'ai pas fait deux brasses afin de récupérer le *frisbee* que Torpedo s'élance, et avant que je complète un autre mouvement de bras, il surgit, l'anneau autour de son nez, et le rapporte à ma sœur.

Tous les trois, nous restons bouche bée.

Depuis un bon moment déjà, maman, Carlos et tante Consuelo sont installés sur la plage et nous regardent nous amuser, tantôt avec le petit dauphin et tantôt sans lui. Pressentant sans doute que ma sœur effectuerait le lancer de sa vie, maman l'a filmée pour immortaliser ce moment. Pas plus que nous, elle ne s'attendait à la réaction de Torpedo. Sans vraiment le vouloir, elle a aussi filmé l'exploit du petit dauphin.

— Vous avez vu ça? demande-t-elle, une fois remise de son étonnement.

— Et comment! Dommage que nous partions demain.

— Je crois que lui aussi, il nous quittera bientôt, lance Carlos qui écoutait notre conversation.

— Vous en êtes sûr, *señor*?

— Il a maintenant trop de vigueur pour rester là encore longtemps. N'oubliez pas que son univers, c'est la mer.

— Papa a raison. Il ne restera pas ici, afin de me consoler de votre départ, dit notre amie en serrant ma sœur dans ses bras.

— Rapporte-le-moi, mon beau Torpedo, que je lui dis lui en lançant le *frisbee* à l'extrémité de l'enclos.

Des personnes étrangères, en voyant avec quelle rapidité Torpedo obéit à ma demande, penseraient qu'il est parfaitement dressé. Une preuve de plus, me dirait ma mère, qu'il ne faut pas se fier aux apparences.

Cela m'attriste de penser que nous partons demain et que Torpedo regagnera le large. Ma sœur et moi, nous rentrons à la maison. Nous avons maman qui prend soin de nous. Nous avons aussi papi François et mamie Lucie qui sont toujours là lorsque maman a besoin de nous faire garder. Mais lui, Torpedo, il sera seul dans cet immense océan. Si ce que j'ai lu au sujet des dauphins est vrai, sa mère ne s'occupe plus de lui, puisqu'elle aurait été avec lui lorsque nous l'avons rescapé. Que fera-t-il, seul ? Sera-t-il bouffé par les requins ? Gobera-t-il un autre sac en plastique en le confondant encore avec une anémone ? Si Carlos pouvait le garder, mais c'est contre ses principes. L'enclos est conçu pour que les dauphins, une fois rétablis, regagnent le large. Ce qui me peine le plus, c'est cette certitude qu'après demain, je ne le reverrai jamais plus.

— Tu sembles bien songeur, me dit doucement Alandra.

— Je ne peux cesser de penser au sort qui attend Torpedo.

— Tu connais l'avenir ? demande-t-elle en me fixant de ses beaux grands yeux noirs.

— Non, mais il n'est pas nécessaire d'être devin pour se faire une idée de tous les risques qu'il va courir.

— Lorsque j'ai des idées comme celles-là, mon père me dit que je devrais plutôt imaginer le contraire. Et le plus beau, c'est que ces pensées ont autant de chances de se concrétiser que les pensées sombres qui m'habitent.

— Tu le crois ?

— Je suis convaincue qu'il a raison. Allons chercher les poissons. Avec tous les exercices qu'il a faits, Torpedo est sûrement affamé.

CHAPITRE 18

Le grand départ

C'est déjà la veille de notre départ. Afin de souligner la fin de notre voyage, Carlos nous invite à dîner dans un restaurant qu'il considère comme étant celui des grandes occasions.

Nous avons chacun une langouste dans notre assiette et nous nous régalons de ces homards sans pinces. Pendant le souper, des chanteurs mexicains, des mariachis, viennent à notre table afin de nous chanter des ballades. Je crois que ma sœur a dépassé son propre record de desserts mangés. Peut-être aussi son record de verres de lait bus. Maman se demande bien où elle met tout ça, puisqu'elle est mince comme une échalote.

Assis près d'Alandra, nous parlons de Torpedo, alors que ma sœur, entre deux petites gâteries, nous parle de son site Web, ainsi que de la super vidéo dans laquelle on voit le petit dauphin lui rapporter le *frisbee*.

Ces deux semaines ont permis à maman de parler l'espagnol. Elle discute avec Carlos et avec tante Consuelo avec autant d'aisance que si elle le faisait dans notre langue. Si je me fie à la façon dont Carlos regarde ma mère, je suis certain qu'il a le béguin pour elle. Je sais que maman l'a invité à nous rendre visite à Montréal avec Alandra. À mon avis, nous les verrons avant la fin de l'année.

Lorsque nous revenons à la villa, j'ai peine à garder les yeux ouverts. La tête sur l'oreiller, je me retrouve aussitôt dans les bras de Morphée.

***

Lorsque j'ouvre les yeux, quelques rayons de soleil se sont frayé un chemin de chaque côté de la toile. Le cadran, sur la table de chevet, indique sept heures trente. Dans le lit d'à côté, ma sœur dort encore. Je me lève, j'enfile mes shorts et je sors de la chambre sans faire de bruit. Je ne veux pas réveiller ma sœur, car je désire être seul avec Torpedo. Je tiens à profiter pleinement de ces quelques heures avant que nous nous rendions à l'aéroport.

Le sable est encore frais, mais je suis certain que l'eau ne me paraîtra que plus chaude. Même si elle était un peu froide, elle serait comme celle de la piscine de papi. Qu'est-ce que je ne ferais pas pour être avec Torpedo ?

Je scrute le bassin, mais je ne vois pas mon ami. Je l'appelle, mais il ne se passe rien. Je lance le ballon et il reste sur l'eau, ballotté par de petites vagues. Je crie son nom en sautant dans l'eau. « Torpedo ! » Mais où se cache-t-il donc ? Je crie encore. « Torpedo ». Toujours rien. Serait-il parti ? Pas déjà, pas avant nous. Désemparé, je remonte à la villa et, même si maman m'a déjà dit que la chose ne se fait pas, je frappe à la porte de la chambre du *señor* Carlos.

— *Señor* Carlos, s'il vous plaît, réveillez-vous !

— En moins de deux, il m'ouvre.

— Torpedo n'est plus dans le bassin.

— Tu en es bien certain ?

— Je l'ai appelé, je lui ai lancé le ballon en pensant qu'il se pointerait, j'ai sauté à l'eau, je l'ai encore appelé, mais il ne s'est rien passé. Je suis sûr que le bassin est vide.

— Donne-moi une minute, j'arrive.

Je redescends au bassin à grands pas en essayant de suivre Carlos, qui avance en troisième vitesse. Sitôt arrivé, il constate que Torpedo n'est plus là.

Je demande, haletant :

— Pensez-vous qu'il a réussi à franchir le grillage ?

— C'est la seule explication. Tu te souviens sûrement de ce que je t'ai dit hier, en le voyant en aussi grande forme ?

— Oui, *señor*, mais je pensais qu'il me dirait un dernier bonjour.

— Tu sais, William, les animaux sauvages doivent être libres ! Je suis sûr qu'il aimait votre compagnie, mais son univers ne pouvait se résumer à cet enclos. Tu peux tout de même être fier de ce que tu as fait pour lui. Et je pense qu'il te l'a bien rendu.

— Vous avez raison, *señor* Carlos. Mais j'aurais aimé qu'il soit là encore ce matin.

— Ta sœur et Alandra seront aussi déçues que toi.

— Je le pense aussi.

— Viens, nous allons leur annoncer la nouvelle.

Je n'ose pas le dire à Carlos, mais j'ai le cœur gros. Il me semble que si Torpedo avait été là, et si j'avais pu le voir une dernière fois, cette journée de départ aurait été moins pénible. Je vais laisser Carlos annoncer aux filles que nous avons perdu notre compagnon de jeu.

Lorsque Carlos leur apprend que Torpedo est retourné en mer, ma sœur et notre amie mexicaine ne semblent pas vraiment surprises.

— Avez-vous bien saisi ce que vient de dire *señor* Carlos ?

— Oui, répond ma sœur. Torpedo est parti. Il a décidé d'aller retrouver les siens.

Le père d'Alandra nous en avait touché un mot hier.

— Et cela ne te fait pas de peine ?

— Non. S'il a réussi à franchir les grilles, c'est qu'il était prêt.

— Moi aussi, je suis de cet avis, avance Alandra. Sans compter qu'il sera plus heureux avec ses frères dauphins qu'avec nous.

— Tout ce que je lui souhaite, c'est de ne pas se laisser berner de nouveau. Je pense qu'il est assez intelligent pour se souvenir de sa mauvaise expérience.

— Moi aussi, dit maman en me regardant tendrement.

— Tu as faim ? me demande Carlos.

— Oui, un peu.

— Mange, me dit ma sœur. Cela va t'aider à oublier ce dauphin.

— Je ne vois vraiment pas le rapport !

— Moi, je ne l'oublierai jamais, dit Alandra, car même si nous en sauvons d'autres, Torpedo restera toujours le premier dauphin avec lequel j'ai pu m'amuser.

Je pense comme Alandra, mais je n'ose pas le dire, car je sais que ma sœur reviendrait là-dessus à tout bout de champ.

— Il faut vous presser un peu, dit maman. Il y a les bagages à boucler et nous devons être à l'aéroport trois heures avant le départ.

Pauvre maman, elle craint toujours que nous soyons en retard. Pourtant, nous sommes toujours en avance. Lorsque je serai un adulte, je tâcherai d'être un peu moins pressé.

TABLE DES MATIÈRES

Gilles Ruel

Originaire du Saguenay-Lac-Saint-Jean, Gilles Ruel habite la Côte-Nord depuis plus de trente ans. Après avoir reçu le Prix littéraire Abitibi-Consolidated du Salon du livre du Saguenay-Lac-Saint-Jean 2006 catégorie Jeunesse pour son premier roman, l'écriture est devenue l'une de ses principales occupations.

Gilles Ruel nous présente aujourd'hui son troisième roman jeunesse, mais son premier roman avec Phœnix. Doté d'une imagination débordante, il a su développer, au fil des mots, l'art de créer des histoires et des personnages qui, à coup sûr, captivent ses lecteurs et lectrices.

Nadia Berghella

Je suis une gribouilleuse professionnelle ! Une Alice au pays des merveilles, une gamine avec un pinceau et des ailes... Donnez-moi des mots, une histoire, un thème ou des sentiments à exprimer. C'est ce que je sais faire... ce que j'aime faire ! De ma bulle, j'observe la nature des gens. Je refais le monde sur du papier en y ajoutant mes petites couleurs ! Je sonde l'univers des petits comme celui des grands, et je m'amuse encore après tout ce temps ! Je rêve de continuer à faire ce beau métier, cachée dans mon atelier avec mes bas de laine et de l'encre sur les doigts.

www.nadiaberghella.com

Achevé d'imprimer
en novembre deux mille treize, sur les presses
de l'imprimerie Gauvin, Gatineau, Québec